Marvin
Pauline
Manuel
Pia
Johanna

Lena und Niki sind Nachbarskinder. Sie gehen zusammen in den Kindergarten. Willst du sie begleiten?
Dann, liebe(r)

. . . .

Komm mit in den

Bianka Minte-König Hans-Günther Döring

Kindergarten

Thienemann

Im Kindergarten hat jedes Kind einen Platz für seine Sachen.
Für Jacke, Mütze, Schuhe und die Brottasche.
Alle helfen sich morgens bei der Ankunft.

Lena zieht Niki die Hausschuhe an, weil er manchmal noch rechts und links verwechselt. Kein Problem!

Im Kindergarten findest du neue Freunde
oder triffst alte Freunde wieder.

Nikis Freunde sind Marvin,
Manuel und Johanna.
Sie bauen zusammen eine
Ritterburg aus Bauklötzen.

Im Kindergarten sind die Erzieherinnen und Erzieher immer für dich da. Sie spielen mit allen Kindern und helfen, wenn ein Missgeschick passiert.

Lena hat sich beim Basteln verletzt. Frau Müller tröstet sie und klebt ein buntes Pflaster auf den Finger.
„Tut es weh?“, fragt Niki.
Aber Lena lacht schon wieder.

Im Kindergarten kannst du mit deinen Freunden gemeinsam frühstücken. Da schmeckt das Essen besonders gut. Guten Appetit!

Nach dem Essen putzen sich Niki und Lena die Zähne und waschen sich die Hände.
„Iiiiiii!", schreit Lena. „Spritz nicht so!"

Im Kindergarten wird an manchen
Tagen auch geturnt.
Das macht Spaß.

„Komm auf das Trampolin!",
ruft Lena, und hops, fliegt
sie mit Niki hoch in die Luft.

RACING TEAM
ANNA

Herzlich
Willkommen

Im Kindergarten werden lustige Feste gefeiert.

Im Kindergarten dürfen die Kinder kochen
und backen.
Heute zeigt Debbies Mama, wie man
echte italienische Pizza macht.

Lena bringt mit Debbie die
Pizza in die Küche, damit sie
im Ofen backen kann.
Beide freuen sich auf den
Schmaus.

Im Kindergarten gibt es auch einen großen Spielplatz.
Da kannst du bei schönem Wetter toben und Krach machen, so viel du willst.

Niki und seine Freunde spielen Piraten und singen, so laut sie können: „He, wir sind die Piraten, räubern Dukaten, stechen in See!"

Im Kindergarten kannst du basteln und mit den buntesten Farben malen.

Lena fädelt Perlen für eine Indianerkette auf. Niki beklebt einen Indianerkopfputz mit Federn.
Für wen der wohl ist?

Im Kindergarten wird manchmal auch Theater gespielt. Jedes Kind bekommt eine Rolle. Die Zuschauer sind Eltern und Freunde. Sie klatschen tüchtig und alle Kinder können stolz auf sich sein.

„Abrakadabra!", murmelt Hexe Lena und verwandelt Niki in einen Baum.

Im Kindergarten machen die Kinder Musik und singen lustige Lieder.

„Widewidewenne
heißt meine Putthenne",
singen Lena und Niki. Sie
spielen Xylophon und Triangel.

Im Kindergarten ist viel los.
Mittags sind alle Kinder müde und werden von ihren Mamas, Papas, Omas und älteren Geschwistern abgeholt.

„Na, wie war der Kindergarten heute?", fragt Nikis Mama.
„Toll!", antwortet er. „Morgen gehe ich wieder hin, und du holst mich wieder ab!"
„Versprochen!", sagt Mama und gibt ihm einen dicken Kuss.

Bianka Minte-König ist seit 1980 Professorin für Medien- und Literaturpädagogik. Neben einem Kindertheater leitet sie verschiedene Kindergartenprojekte und eine Kindergalerie.

Hans-Günther Döring studierte Kommunikationsdesign und Illustration in Hamburg. Seit 1991 arbeitet er als freier Illustrator für Fernsehen und Verlage.